도형 학습의 기준

플라토

PLATO

S2

도형조작 | 6세

사고가 자라는 수학

플라토가 제안하는 도형 학습법

도형 학습지 플라토를 처음 기획하던 때의 기억이 선명하네요. 처음에는 아이들에게 그다지 필요하지 않을 거라 생각해서 소수의 학원에서만 풀리는 교재로 생각했는데 교재가 모양을 갖추어가자 점점 모든 아이들이 즐겁게 도형을 풀 수 있는 책이 만들어질 거라는 확신이 들었지요.

처음 교재를 쓰면서 놓치지 않고 싶었던 콘셉트는 딱 이거였어요.
"쉽고! 가볍게!"
쉬운 교재를 쓴다는 것이 결코 쉽지 않았답니다. 쓰다 보면 어느새 높은 수준의 공간 감각을 요구하는 어려운 문제가 막 튀어나오고 난리도 아니었지요. 그럴 때마다 '아니야, 이 책은 정말 쉽고 가벼워야 해. 아이들이 술술 풀 수 있는 학습지여야 한다고!' 하며 다시 마음을 다잡고 어려운 문제를 빼고 다시 쓰기를 반복했답니다.

우여곡절 끝에 나온 '플라토'를 지난 6년 정도의 시간 동안 정말 깜짝 놀랄 만큼 많은 아이들이 선택하여 풀게 되었지요. 처음 생각했던 가볍고 쉬운 도형 학습지라는 콘셉트가 많은 부모와 아이들에게 받아들여졌다는 사실이 저자로서 무척이나 기쁘고 정말 뿌듯하답니다. 플라토가 단순히 도형을 체계적으로 학습하기 위한 학습지라는 개념을 넘어, 아이들이 도형, 더 나아가 수학에 대한 자신감을 가질 수 있게 하는 수학 학습의 시작점이 되었다는 사실이 무엇보다 자랑스럽습니다.

아이들을 위한 수학책을 집필하면서 수학 때문에 힘들어하는 아이들에게 또 하나의 짐을 더 지워주는 것이 아닌가 하는 걱정이 있었어요. 도형 학습지 플라토가 초등 도형 학습이라는 새로운 영역을 개척하며 점점 성장하는 것과 함께 어쩌면 도형도 따로 공부해야 한다는 또 다른 짐이 되어버린 것 같아 아쉽기도 했지요. 하지만 지난 몇 년간 플라토를 푼 많은 아이들이 올려준 후기를 보면서 저희의 걱정이 지나쳤다는 확신이 생겼답니다. 플라토를 푼 아이들, 플라토로 수학을 시작한 아이들은 수학이 괴롭고 힘들다는 인식 대신, 수학을 가볍고 부담 없고 만만한 것으로 받아들이게 되는 과정을 몸소 보여주었어요. 이것은 저희가 처음에 플라토를 기획했던 때에 기대했던 반응과 효과를 넘어선 정말 커다란 수학 학습의 변화라고 자평한답니다.

많은 사랑을 받았던 플라토가 이제, 플라토를 접한 이들의 소중한 피드백과 함께 새로운 개정판으로 다시 태어났어요. 원래 플라토가 가지고 있던 장점은 그대로 가진 채, 좀 더 예뻐지고, 좀 더 친절해지고, 좀 더 풍성해진 모습으로 다시 한번 아이들에게 다가가려 합니다. 이러한 작은 변화가 아무쪼록 여전히 수학, 그리고 도형으로 고민하는 많은 부모와 아이들에게 기쁜 소식이 되었으면 해요.

새로운 플라토, 잘 부탁드리고, 또 많은 관심과 의견 보내주시면 정말 고마울 거예요.

2022년 지식과상상연구소 드림

도형학습, 자주 묻는 질문과 답변

질문 1 도형 학습 반드시 필요할까요? 또는 어떤 아이들에게 필요할까요?

도형 영역의 성취도가 다른 영역에 비해 확연하게 높은 아이들과 선천적으로 공감 감각이 뛰어난 친구에게는 필요하지 않겠지요. 그러나 초등학교의 도형 학습은 단원 간 시간 간격이 상당히 크기 때문에 아이들이 도형의 기본 개념을 연계하여 학습하지 못하는 어려움이 있고, 이러한 어려움이 누적되면 훨씬 어려운 중학교 도형 영역에서 힘들어하는 경우가 많답니다. 이 때문에 좀 더 도형을 체계적으로 꾸준하게 하고 싶다는 아이들에게는 반드시 추천합니다.

특히 도형을 어려워하거나 싫어하는 친구들에게 플라토는 특효약이 될 수도 있다는 점 잊지 마세요.

질문 2 도형 학습은 교구가 반드시 필요한가요?

영유아기에 도형 교구를 다루어 본 아이들과 그렇지 않은 아이들은 초등 단계에서 유의미한 도형 학습의 성취도 차이를 보이기는 합니다. 그러므로 3세~7세의 아이들에게 도형 교구를 노출시켜주어야 한다고 생각해요. 유아 단계에서는 놀이를 중심으로 한 교구 학습을 추천하고, 플라토를 시작하고 진행하는 단계에서는 교구를 도형 학습의 보조 도구로 활용하는 것이 좋을 것 같습니다. 예를 들어 플라토를 풀다가 거울에 비친 모양을 어려워한다면 거울 교구를, 칠교를 어려워한다면 칠교 교구를 직접 만지면서 문제를 푸는 것이 학습 효과를 높일 수 있지요. 플라토 개정판에서는 연관 교구를 표시해 두었고, 일부 교구재를 교재와 함께 제공하고 있습니다.

질문 3 반드시 추천하는 도형 교구가 있나요?

반드시 필요한 도형 교구라면 교과서에 등장하는 도형 교구라고 생각해요. 패턴블록, 거울(리플렉터), 칠교, 펜토미노, 쌓기나무, 입체 모형, 지오보드 등이 교과서에 빠지지 않고 등장하는 교구이지요. 이러한 교구를 한 번에 묶어서 구성해 놓은 것이 플라토 주머니랍니다. 필요하신 분은 검색해 보세요!

질문 4 아이가 플라토를 너무 빨리 풀어요. 어떻게 해야 할까요?

입문 단계의 플라토는 정말 쉽게 만들었기 때문에 어떤 아이들은 한 달 분량의 교재를 1주일이나 빠르게는 2~3일 만에 풀곤 한답니다. 아이가 학습지를 스스로의 의지로 빨리 풀어낸다는 것은 좋은 일이지요. 칭찬해 주어야 마땅합니다. 6세~2학년 정도까지는 도형 학습에 있어 좀 더 윗 단계를 푸는 것도 크게 어렵지 않습니다. 그래서 아이 연령에서 2단계~3단계 위까지는 아이가 속도감 있게 풀면서 쭉 나가주어도 괜찮아요. 그러다가 아이들이 학교에서 배워야만 풀 수 있는 주제가 나올 때 잠시 멈추고 연산/사고력 문제집을 풀게 하는 것이 좋습니다. 윗 단계의 도형 학습을 수월하게 진행하려면 연산 학습과 사고력 학습도 같이 진행하는 것이 좋기 때문입니다.

질문 5 플라토만으로 도형 학습을 다 했다고 할 수 있을까요? 너무 쉬운 문제만 푸는 게 아닐까 불안해요.

플라토는 분명 쉬운 교재이지만 초등 수학 수준에 필요한 난이도의 도형 문항은 모두 수록되어 있답니다. 하지만 아이들에 따라 도형 학습에 재미를 붙이는 단계에서 좀 더 수준 높은 문제로 공간 감각과 사고력을 키우고 싶을 수도 있지요. 이런 경우 사고력수학 교재의 도형 영역으로 좀 더 심화된 학습을 하는 것을 추천합니다. 또한 우리 플라토도 좀 더 확장된 도형 학습을 필요로 하는 아이들을 위한 심화 교재를 준비하고 있으니 기대해주세요!

플라토 전체 커리

교재		S(6세)	P(7세)	A(초등학교 1학년)
1권 **평면규칙**	1주차	점과 선	도형 그리기	점과 선의 수
	2주차	똑같은 모양	같은 도형	여러 가지 도형
	3주차	도형 세기	도형 세기	도형 세기
	4주차	도형 규칙	도형 규칙	도형 규칙
2권 **도형조작**	1주차	길이 비교	같은 길이	넓이 비교
	2주차	모양 붙이기	세모 붙이기	패턴블록
	3주차	모양 자르기	네모 붙이기	도형 돌리기
	4주차	거울과 위치	거울에 비친 도형	모양 만들기
3권 **입체설계**	1주차	입체 모양 관찰	입체도형 관찰	입체도형 연구
	2주차	블록 모양 만들기	블록 모양 만들기	여러 가지 입체
	3주차	쌓기나무	쌓기나무	쌓기나무 세기
	4주차	입체도형 세기	층층 쌓기	입체도형 추리
4권 **공간지각**	1주차	잘라내기	구멍난 종이	구멍난 종이
	2주차	종이 접기	종이 접기	접고 잘라내기
	3주차	투명 종이 겹치기	여러 방향 관찰	여러 방향 관찰
	4주차	모양 겹치기	도형 겹치기	겹친 실루엣

B(초등학교 2학년)	C(초등학교 3학년)	D(초등학교 4학년)	E(초등학교 5학년)	F(초등학교 6학년)
원과 다각형	직선과 각	각도기와 각	다각형의 둘레	원주와 원주율
도형 그리기	직각이 있는 도형	삼각형	합동	원을 이용한 길이
도형 세기	도형 그리기	수직과 평행	선대칭	원의 넓이
점판 그리기	패턴 무늬	다각형	점대칭	원을 이용한 넓이
길이 재기	밀기와 뒤집기	도형의 각	직사각형의 넓이	직육면체의 겉넓이
칠교판	돌리기	삼각형의 성질	평행사변형, 삼각형의 넓이	직육면체의 부피(1)
길이의 합과 차	도형의 이동	사각형의 성질	사다리꼴, 마름모의 넓이	직육면체의 부피(2)
모양 만들기	원과 길이	선 긋기와 각	다각형의 넓이	원기둥의 겉넓이와 부피
입체도형 연구	쌓기나무 그리기	입체 찍기	직육면체	각기둥
본뜬 모양	쌓기나무 세기	입체도형 포장	직육면체의 전개도	각뿔
쌓기나무 발자국	입체의 부피	쌓기나무 포장	전개도 그리기	전개도
쌓기나무 세기	큐브 블록	포장 종이 잇기	전개도와 대각선	원기둥, 원뿔, 구
색종이 공예	색종이 공예	점의 이동	점의 이동	쌓기나무의 수
여러 방향 쌓기	구멍난 종이	모양과 점의 이동	모양과 점의 이동	위, 앞, 옆 모양
투명 종이 겹치기	여러 방향 관찰	같은 모양, 다른 모양	주사위	위, 앞, 옆과 수
그림자 추리	색종이 겹치기	정다각형을 붙인 모양	뚜껑이 없는 상자	큐브 연결

이 책의
목차

1주차	길이 비교	....	8
2주차	모양 붙이기	....	22
3주차	모양 자르기	....	36
4주차	거울과 위치	....	50
	형성 평가	....	64

1 주차

길이 비교

1일 곧고 굽은 길 ⋯⋯⋯⋯⋯⋯⋯ 10

2일 가로지르는 길 ⋯⋯⋯⋯⋯⋯⋯ 12

3일 끝 맞추어 비교(1) ⋯⋯⋯⋯⋯⋯ 14

4일 끝 맞추어 비교(2) ⋯⋯⋯⋯⋯⋯ 16

5일 모눈 길이 비교 ⋯⋯⋯⋯⋯⋯⋯ 18

확인학습 ⋯⋯⋯⋯⋯⋯⋯⋯⋯⋯⋯ 20

✏️ 두 점을 이은 선 중 가장 긴 선에 ◯표, 가장 짧은 선에 △표 하세요.

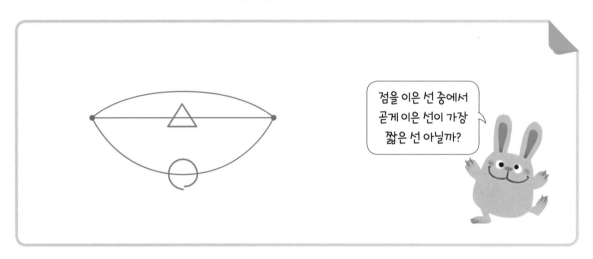

점을 이은 선 중에서
곧게 이은 선이 가장
짧은 선 아닐까?

1

2

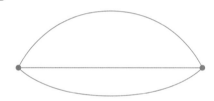

3

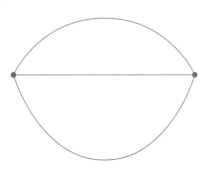

4

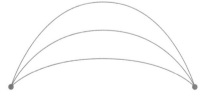

5

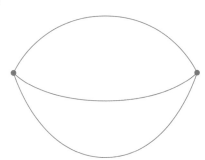

6

7

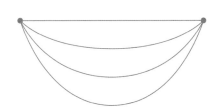

8

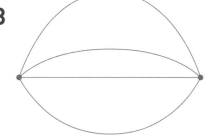

9

10

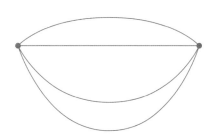

2일 가로지르는 길

✏️ 점선 사이를 가로지르는 두 곧은 선 중 더 긴 선에 ◯표 하세요.

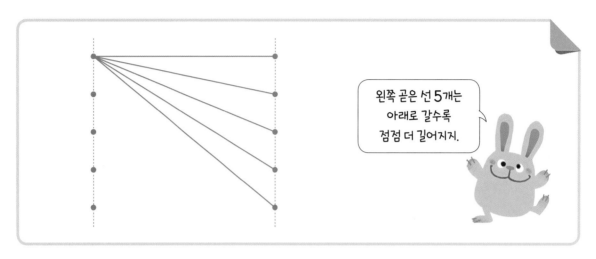

왼쪽 곧은 선 5개는 아래로 갈수록 점점 더 길어지지.

1

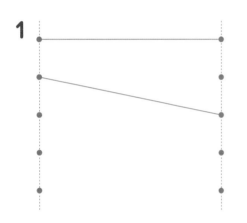

2

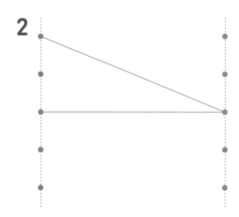

3

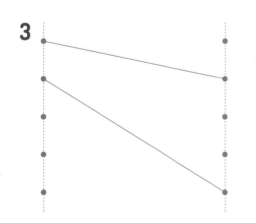

4

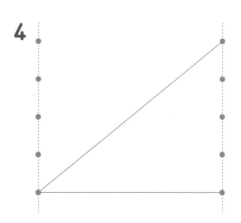

5

6

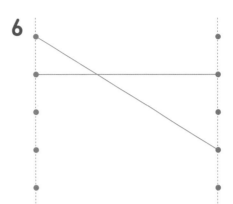

7

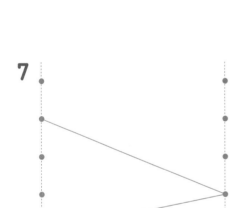

8

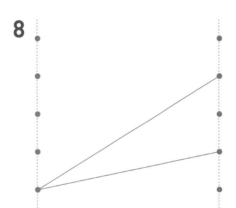

9

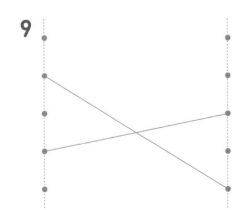

10

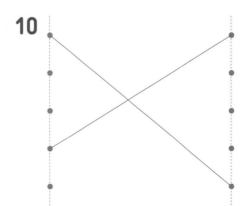

✏️ 짧은 선부터 차례로 선의 이름을 ☐ 안에 써넣으세요.

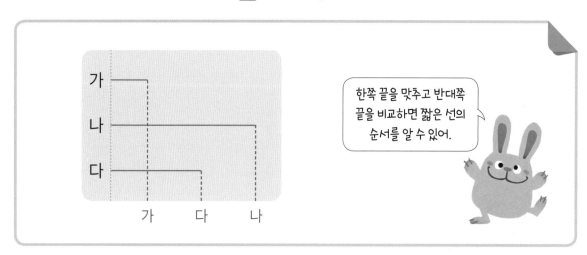

1

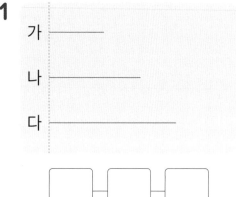

2

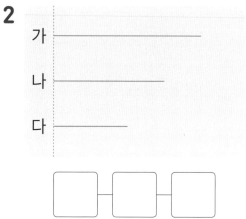

3

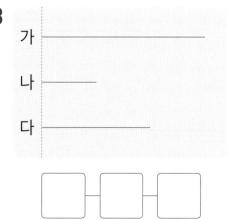

4

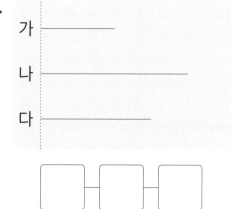

5

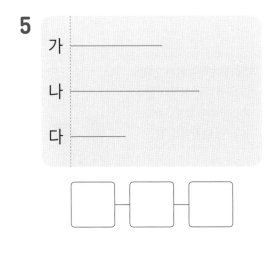

6

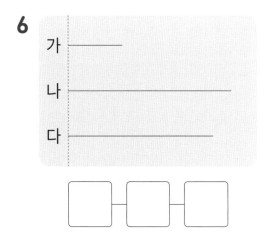

7

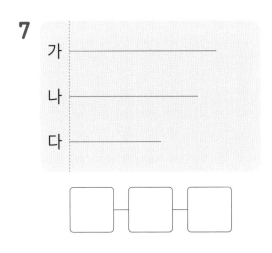

8

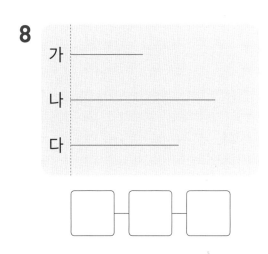

9

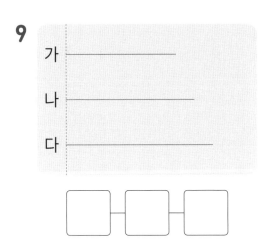

10

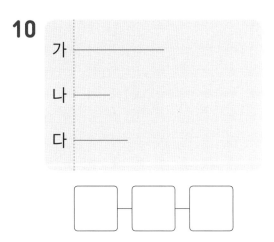

✏️ 짧은 선부터 차례로 선의 이름을 ☐ 안에 써넣으세요.

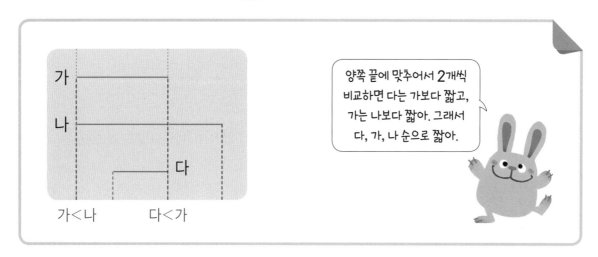

양쪽 끝에 맞추어서 2개씩 비교하면 다는 가보다 짧고, 가는 나보다 짧아. 그래서 다, 가, 나 순으로 짧아.

가<나   다<가

1

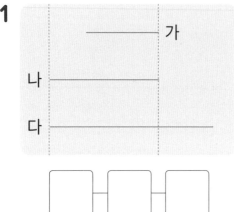

2

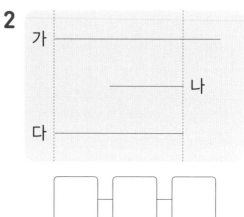

3

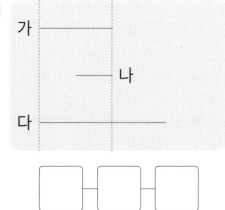

4

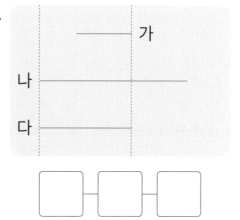

5

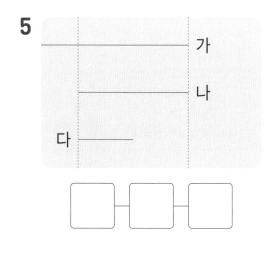

6

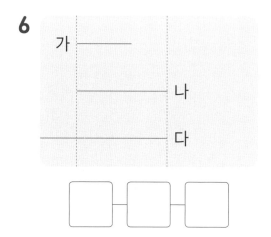

7

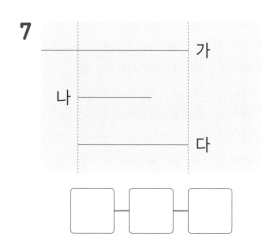

8

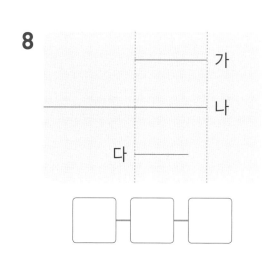

9

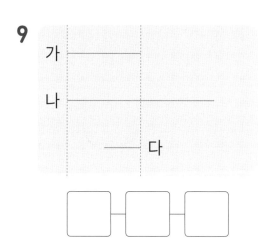

10

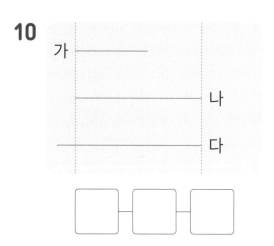

두 점을 잇는 세 길 중 가장 짧은 길을 찾아 ○표 하세요.

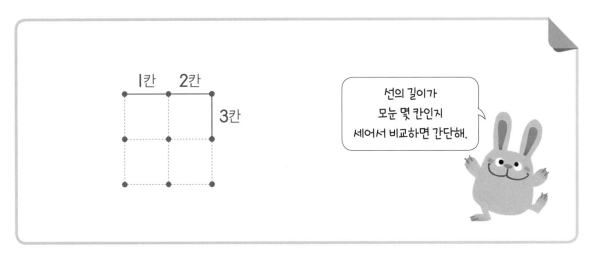

선의 길이가 모눈 몇 칸인지 세어서 비교하면 간단해.

1
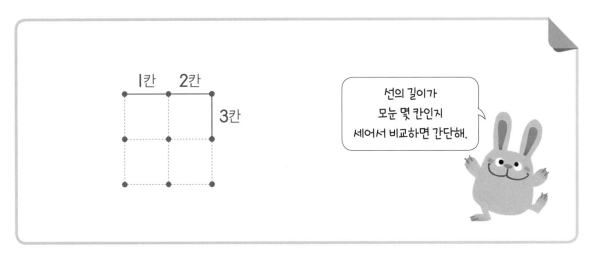

2
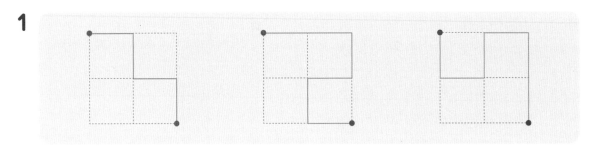

3
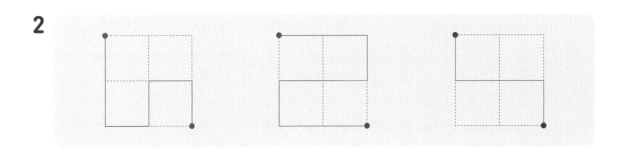

4

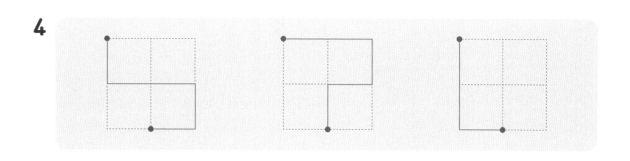

5

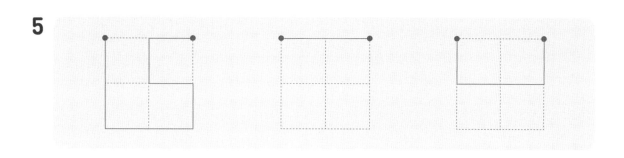

6

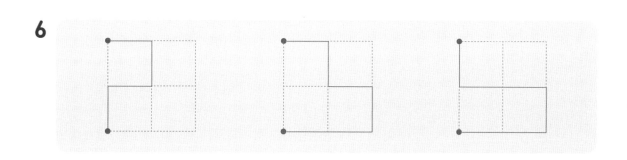

7

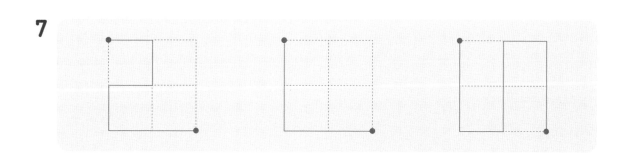

✎ 두 점을 이은 선 중 가장 긴 선에 ○표, 가장 짧은 선에 △표 하세요.

1

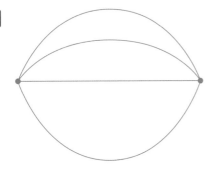

2

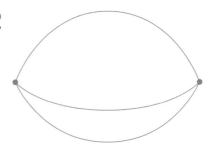

✎ 점선 사이를 가로지르는 두 곧은 선 중 더 긴 선에 ○표 하세요.

3

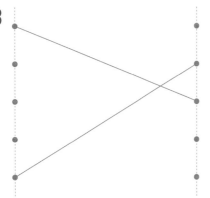

4

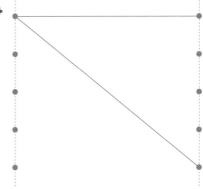

✏️ 짧은 선부터 차례로 선의 이름을 ☐ 안에 써넣으세요.

5

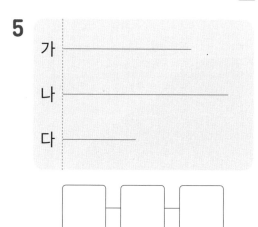

6

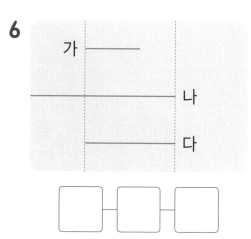

✏️ 두 점을 잇는 세 길 중 가장 짧은 길을 찾아 ◯표 하세요.

7

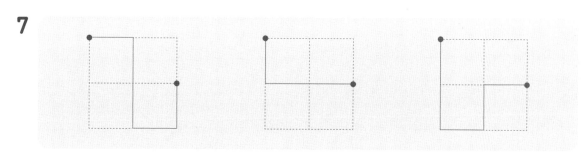

8

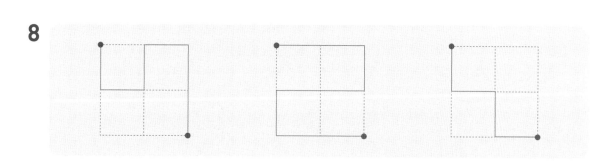

2 주차

모양 붙이기

1일 옆으로 붙이기 ······················· 24

2일 위아래로 붙이기 ······················· 26

3일 옆으로 하나 더 ······················· 28

4일 아래로 하나 더 ······················· 30

5일 붙인 모양 찾기 ······················· 32

확인학습 ······················· 34

옆으로 붙이기

✏️ 왼쪽 두 모양을 옆으로 이어붙인 모양을 오른쪽에 그려 보세요.

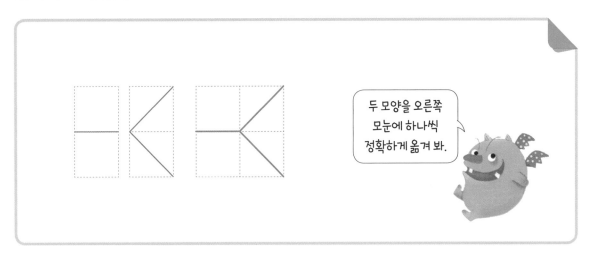

1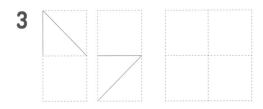

2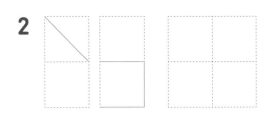

3

4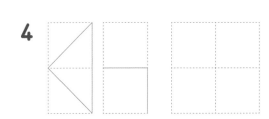

5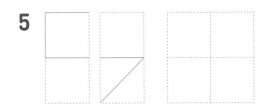

6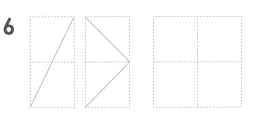

7

8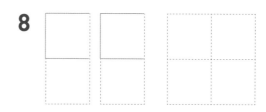

9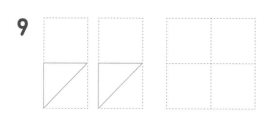

10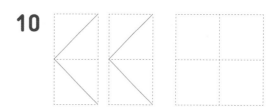

11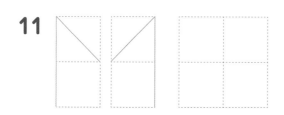

12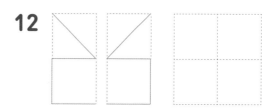

13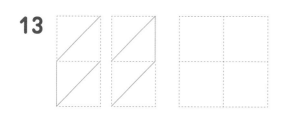

14

위아래로 붙이기

🖊 왼쪽 두 모양을 위아래로 이어붙인 모양을 오른쪽에 그려 보세요.

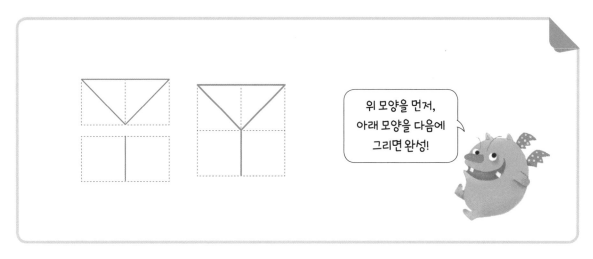

위 모양을 먼저, 아래 모양을 다음에 그리면 완성!

1

2

3 **4**

5 **6**

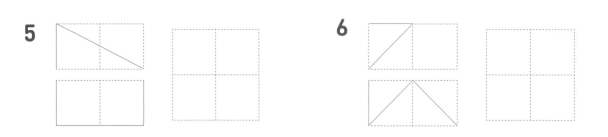

7

8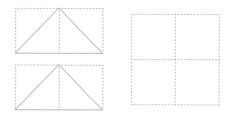

9

10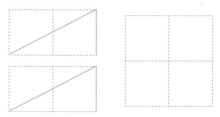

11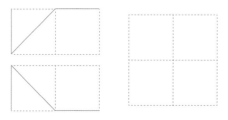

12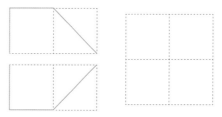

13

14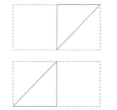

3일 옆으로 하나 더

✏️ 모양의 오른쪽에 똑같은 모양을 하나 더 붙인 모양을 그려 보세요.

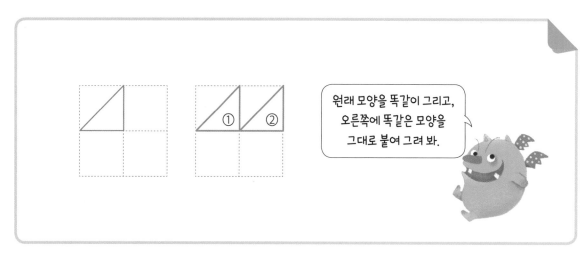

원래 모양을 똑같이 그리고, 오른쪽에 똑같은 모양을 그대로 붙여 그려 봐.

1

2

3

4

5

6
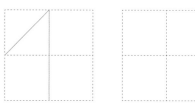

7

8

9

10

11

12

13

14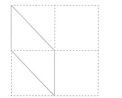

아래로 하나 더

✏️ 모양의 아래쪽에 똑같은 모양을 하나 더 붙인 모양을 그려 보세요.

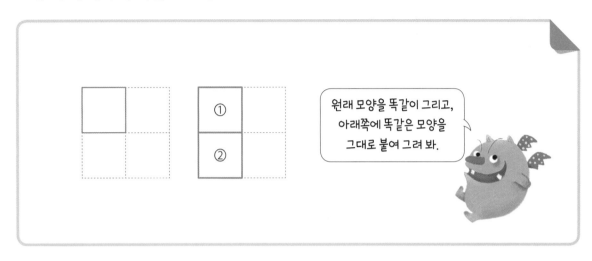

원래 모양을 똑같이 그리고,
아래쪽에 똑같은 모양을
그대로 붙여 그려 봐.

1

2

3

4

5

6

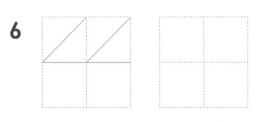

7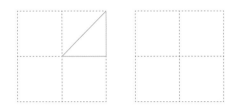

8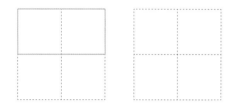

9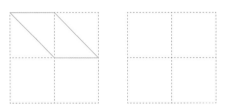

10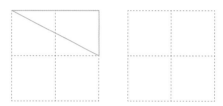

11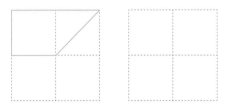

12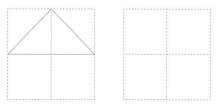

13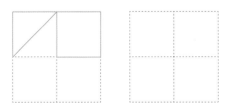

14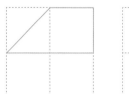

5일 붙인 모양 찾기

하나 더 붙인 모양이 왼쪽이 되는 것을 오른쪽에서 찾아 ○표 하세요.

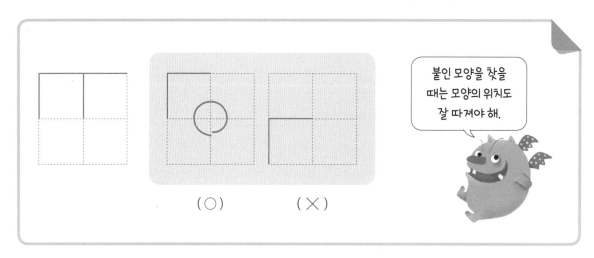

(○)　　(×)

붙인 모양을 찾을 때는 모양의 위치도 잘 따져야 해.

1

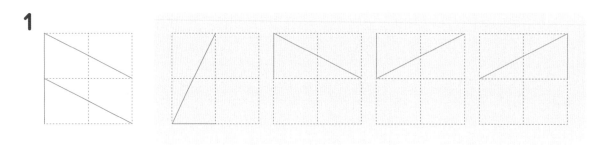

2

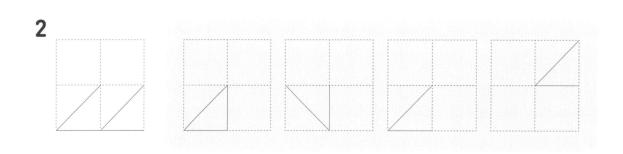

3

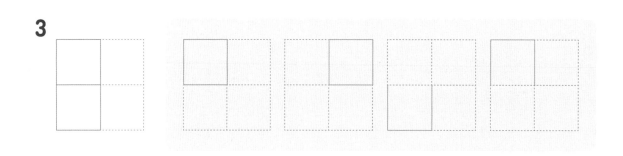

4

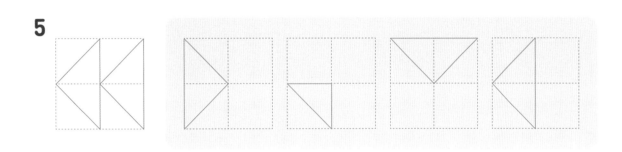

5

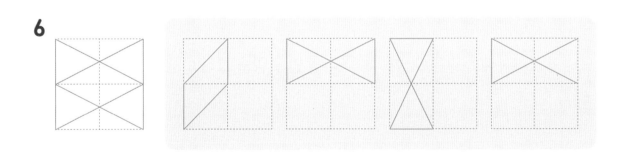

6

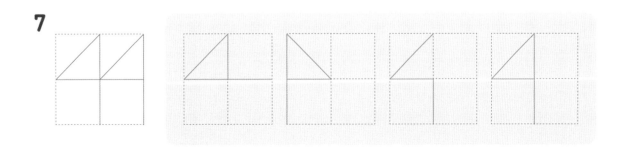

7

✏️ 왼쪽 두 모양을 옆이나 위아래로 이어붙인 모양을 오른쪽에 그려 보세요.

1

2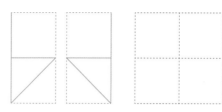

3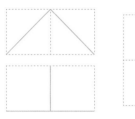

4

✏️ 모양의 오른쪽에 똑같은 모양을 하나 더 붙인 모양을 그려 보세요.

5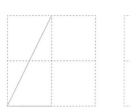

6

7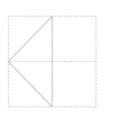

8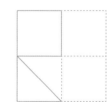

✏️ 모양의 아래쪽에 똑같은 모양을 하나 더 붙인 모양을 그려 보세요.

9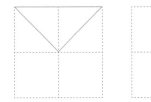

10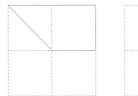

11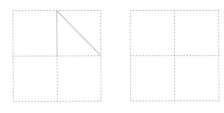

12

✏️ 하나 더 붙인 모양이 왼쪽이 되는 것을 오른쪽에서 찾아 ◯표 하세요.

13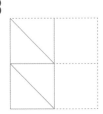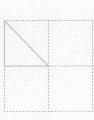

3 주차

모양 자르기

1일   잘린 모양 찾기(1) ················· 38

2일   잘린 모양 찾기(2) ················· 40

3일   자르는 선 그리기 ················· 42

4일   잘린 모양 짝짓기 ················· 44

5일   잘린 모양 찾기(3) ················· 46

확인학습 ································· 48

잘린 모양 찾기(1)

✏️ 점선을 따라 잘랐을 때 잘린 모양 2개를 찾아 ○표 하세요.

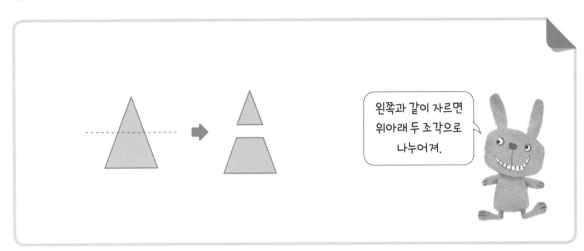

왼쪽과 같이 자르면 위아래 두 조각으로 나누어져.

1

2

3

4

5

6

7

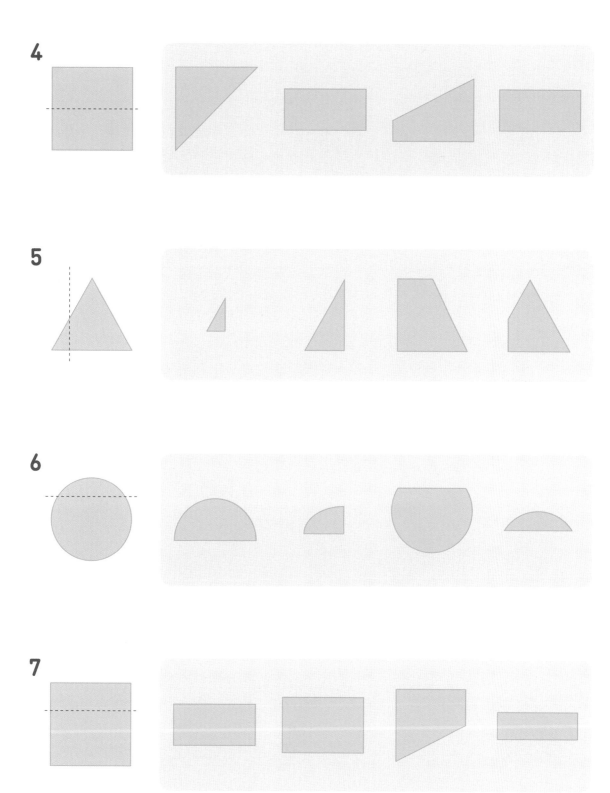

2_일 잘린 모양 찾기(2)

✏️ 점선을 따라 잘랐을 때 잘린 모양 2개를 찾아 ○표 하세요.

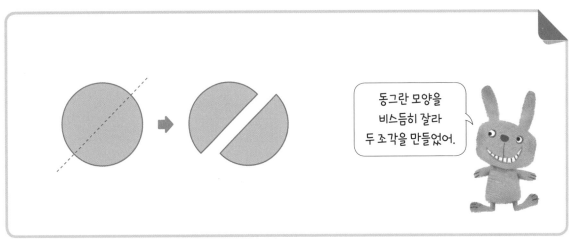

1

2

3

5

4

5

6

7

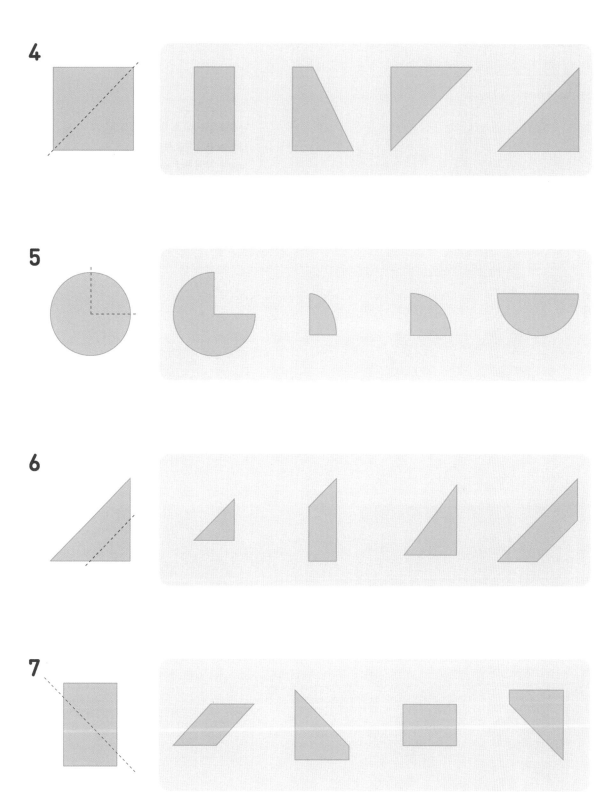

자르는 선 그리기

✏️ 왼쪽 두 모양으로 나누어지도록 자르는 선을 오른쪽에 표시하세요.

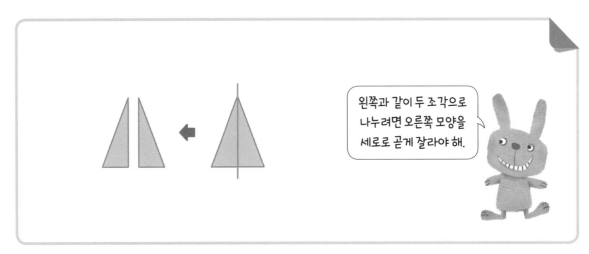

> 왼쪽과 같이 두 조각으로 나누려면 오른쪽 모양을 세로로 곧게 잘라야 해.

1

2

3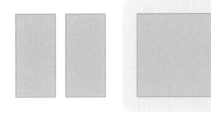

4

5

6

7

8

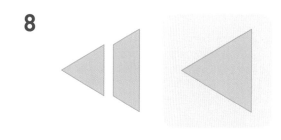

9

10

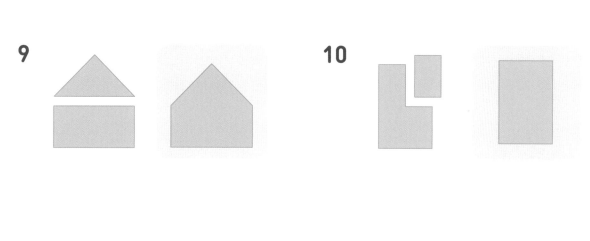

11

12

13

14

잘린 모양 짝짓기

✏️ 왼쪽 모양을 자른 모양끼리 알맞게 선으로 이어 보세요.

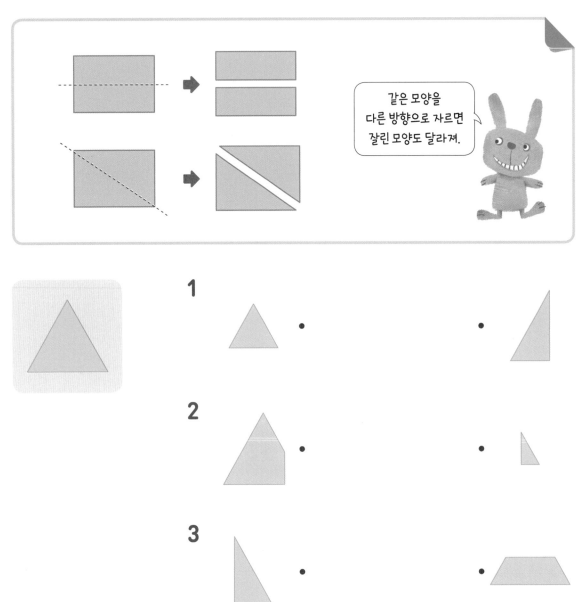

같은 모양을
다른 방향으로 자르면
잘린 모양도 달라져.

1

2

3

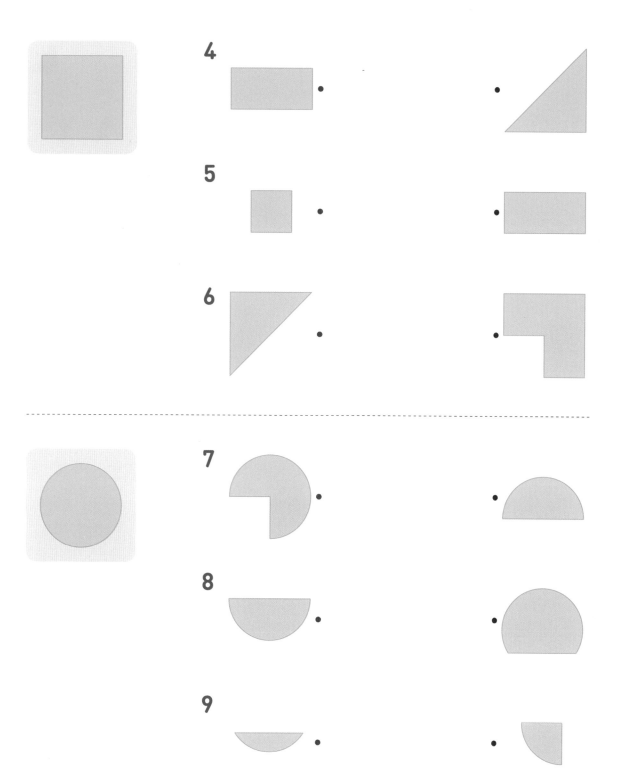

✏️ 왼쪽 모양을 잘랐습니다. 잘린 모양 **2**개를 찾아 ◯표 하세요.

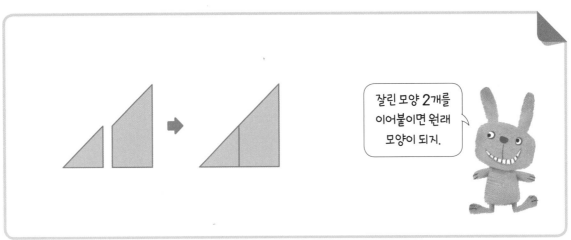

1

2

3

4

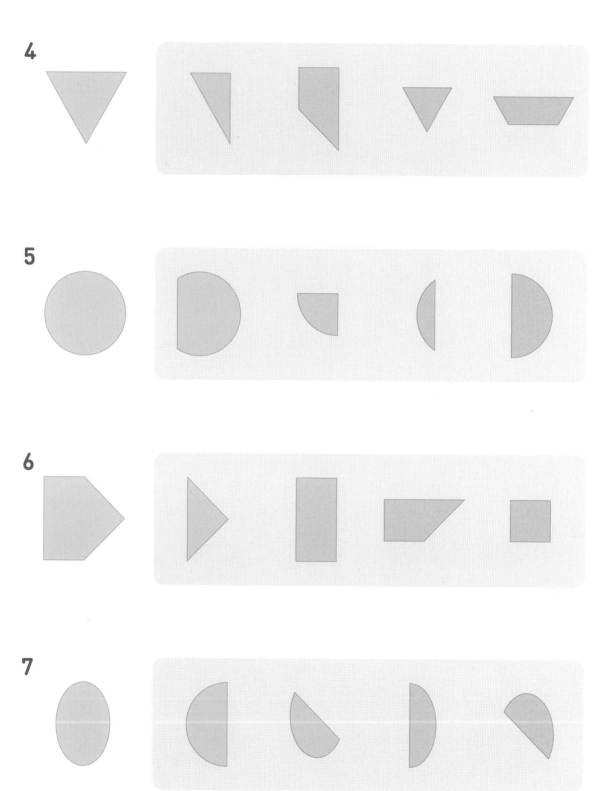

5

6

7

✏️ 점선을 따라 잘랐을 때 잘린 모양 **2**개를 찾아 ◯표 하세요.

1

2

✏️ 왼쪽 두 모양으로 나누어지도록 자르는 선을 오른쪽에 표시하세요.

3

4

5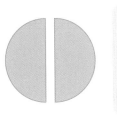

6

✏️ 왼쪽 모양을 자른 모양끼리 알맞게 선으로 이어 보세요.

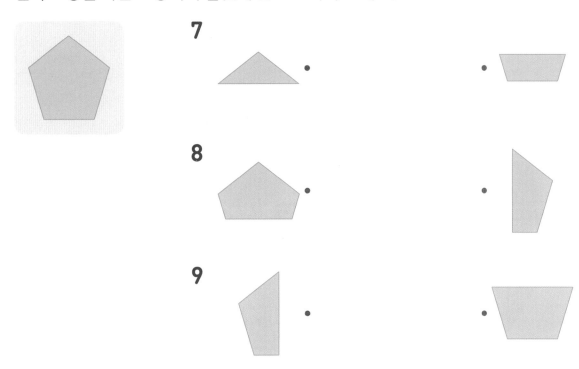

✏️ 왼쪽 모양을 잘랐습니다. 잘린 모양 **2**개를 찾아 ◯표 하세요.

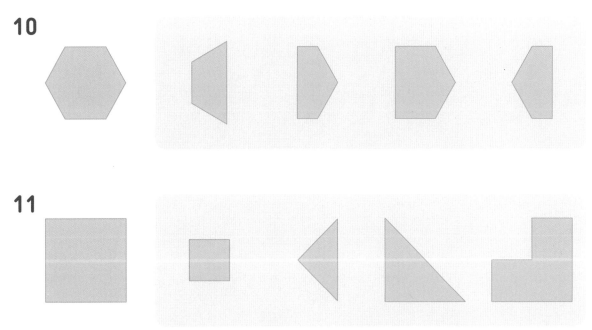

4 주차

거울과 위치

1일 다른 곳 찾기 ···················· 52

2일 똑같이 그리기 ···················· 54

3일 거울에 비친 모양 ···················· 56

4일 거울에 비친 점 ···················· 58

5일 거울에 비친 선 ···················· 60

확인학습 ···················· 62

두 그림이 다른 곳을 찾아 오른쪽 그림에 ✕표 하세요.

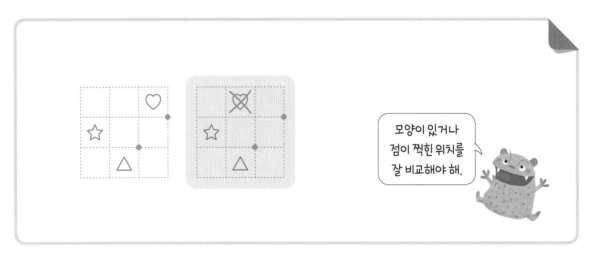

모양이 있거나 점이 찍힌 위치를 잘 비교해야 해.

1
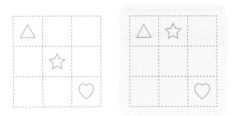

2
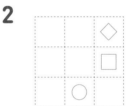

3

4

5
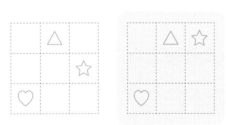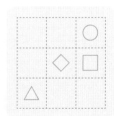

6

7

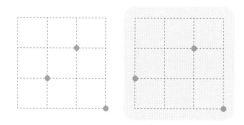

8

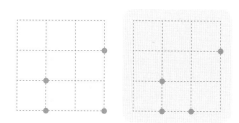

9

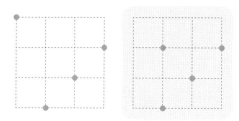

10

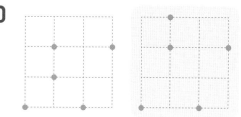

11

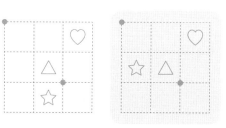

12

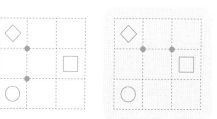

13

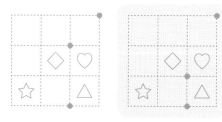

14

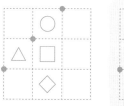 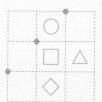

똑같이 그리기

✏️ 왼쪽 그림과 똑같이 오른쪽에 그려 보세요.

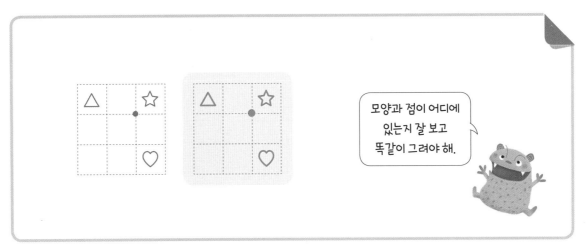

모양과 점이 어디에 있는지 잘 보고 똑같이 그려야 해.

1

2

3

4

5

6

7
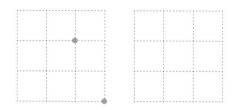

8

9
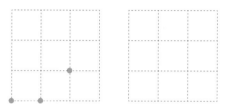

10

11

12

13
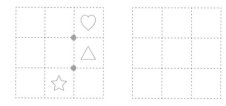

14
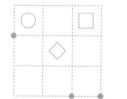

거울에 비친 모양

✏️ 왼쪽 그림을 거울에 비춘 모양을 오른쪽에 그려 보세요.

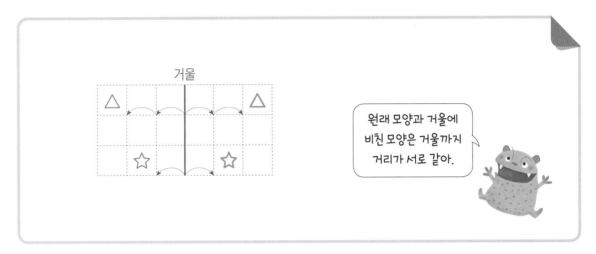

1

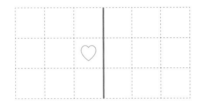

2

3

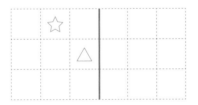

4

5

6

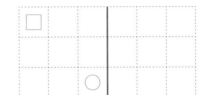

7

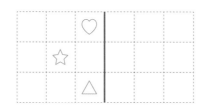

8

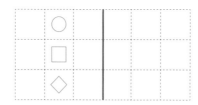

9

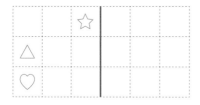

10

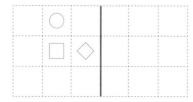

11

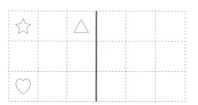

12

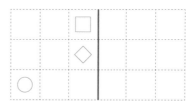

13

14

거울에 비친 점

✏️ 왼쪽 그림을 거울에 비춘 모양을 오른쪽에 그려 보세요.

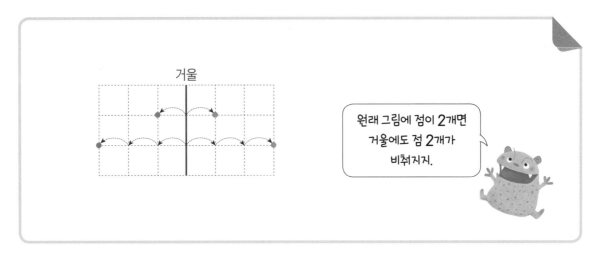

1

2

3
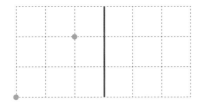

4

5
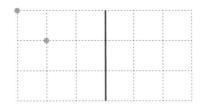

6

7
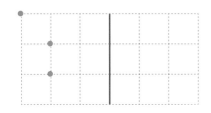

8
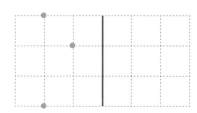

9
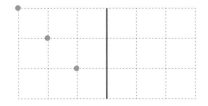

10

11
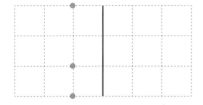

12

13
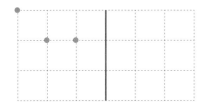

14

거울에 비친 선

✏️ 왼쪽 그림을 거울에 비춘 모양을 오른쪽에 그려 보세요.

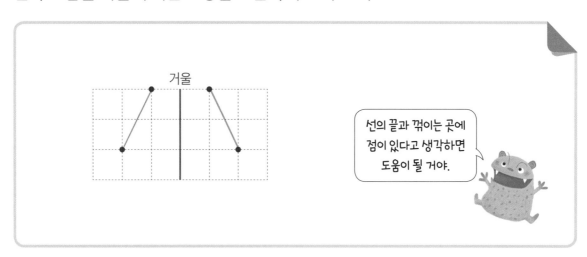

선의 끝과 꺾이는 곳에 점이 있다고 생각하면 도움이 될 거야.

1

2

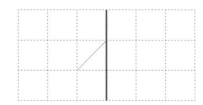

3

4

5

6

7

8

9

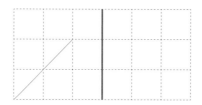

10

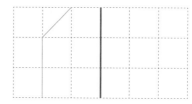

11

12

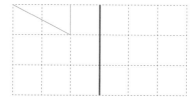

13

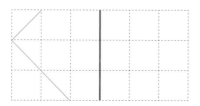

14

✏️ 두 그림이 다른 곳을 찾아 오른쪽 그림에 ✕표 하세요.

1

2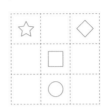

3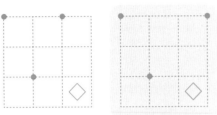

4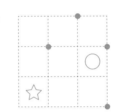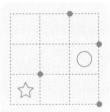

✏️ 왼쪽 그림과 똑같이 오른쪽에 그려 보세요.

5

6

7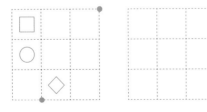

8

✏️ 왼쪽 그림을 거울에 비춘 모양을 오른쪽에 그려 보세요.

9

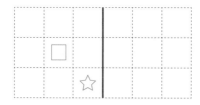

10

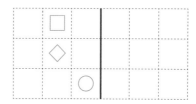

11

12

✏️ 왼쪽 그림을 거울에 비춘 모양을 오른쪽에 그려 보세요.

13

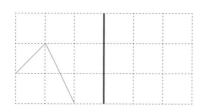

14

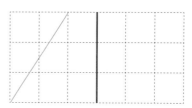

15

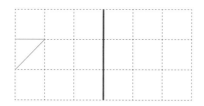

16

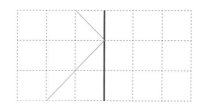

형성 평가

✤ 형성 평가에는 앞서 공부한 4주 차의 유형이 순서대로 나옵니다.

✤ 문제가 틀리면 몇 주 차인지 확인하여 반드시 다시 한번 복습합니다.

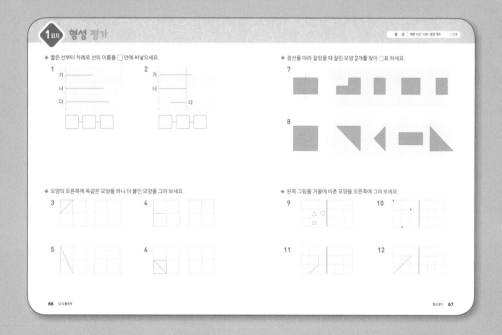

✚ 짧은 선부터 차례로 선의 이름을 ☐ 안에 써넣으세요.

1
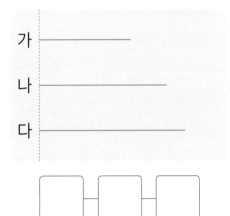

2
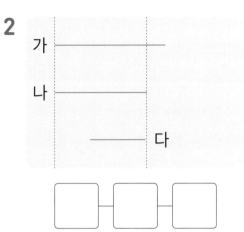

✚ 모양의 오른쪽에 똑같은 모양을 하나 더 붙인 모양을 그려 보세요.

3
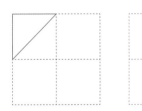

4

5
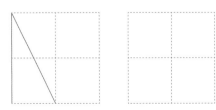

6
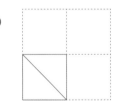

✚ 점선을 따라 잘랐을 때 잘린 모양 **2**개를 찾아 ◯표 하세요.

7

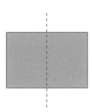

8

✚ 왼쪽 그림을 거울에 비춘 모양을 오른쪽에 그려 보세요.

9

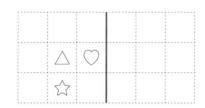

10

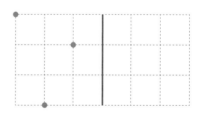

11

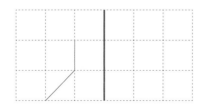

12

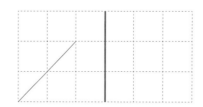

✚ 두 점을 잇는 세 길 중 가장 짧은 길을 찾아 ◯표 하세요.

1

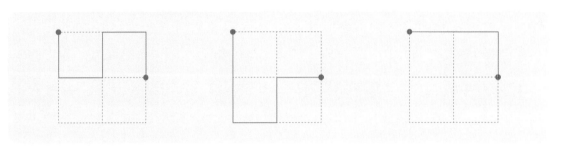

2

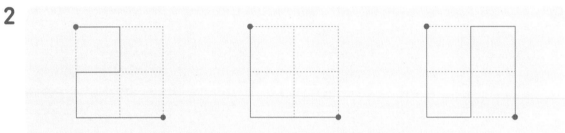

✚ 왼쪽 두 모양을 옆이나 위아래로 이어붙인 모양을 오른쪽에 그려 보세요.

3

4

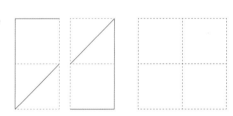

5

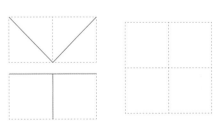

6

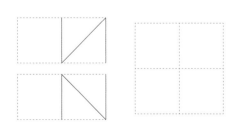

✚ 왼쪽 모양을 잘랐습니다. 잘린 모양 2개를 찾아 ◯표 하세요.

7

8

✚ 왼쪽 그림과 똑같이 오른쪽에 그려 보세요.

9

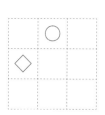

10

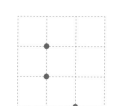

11

12

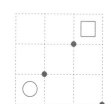

✚ 점선 사이를 가로지르는 두 곧은 선 중 더 긴 선에 ○표 하세요.

1
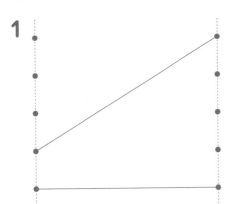

2
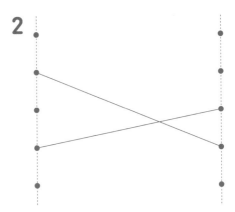

✚ 왼쪽 두 모양을 옆이나 위아래로 이어붙인 모양을 오른쪽에 그려 보세요.

3
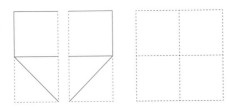

4
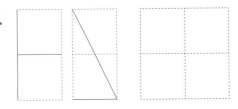

5
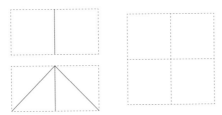

6
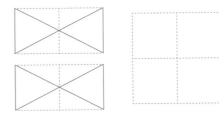

✚ 왼쪽 두 모양으로 나누어지도록 자르는 선을 오른쪽에 표시하세요.

7 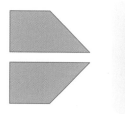     **8**

✚ 왼쪽 그림을 거울에 비춘 모양을 오른쪽에 그려 보세요.

9 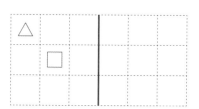   **10**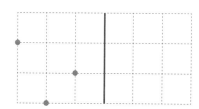

11    **12**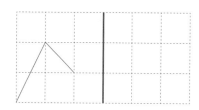

✚ 짧은 선부터 차례로 선의 이름을 ☐ 안에 써넣으세요.

1
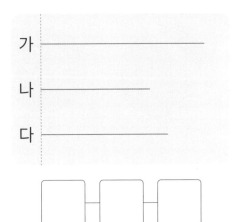

2
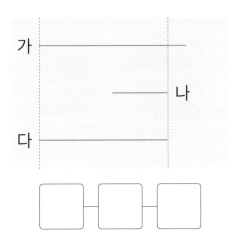

✚ 모양의 아래쪽에 똑같은 모양을 하나 더 붙인 모양을 그려 보세요.

3
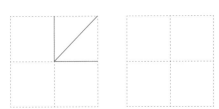

4
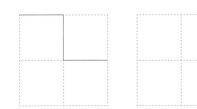

5
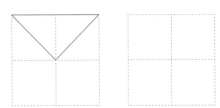

6
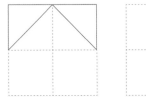

✚ 왼쪽 모양을 잘랐습니다. 잘린 모양 **2**개를 찾아 ◯표 하세요.

7

8

✚ 왼쪽 그림과 똑같이 오른쪽에 그려 보세요.

9

10

11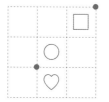

12

➕ 두 점을 잇는 세 길 중 가장 짧은 길을 찾아 ◯표 하세요.

1
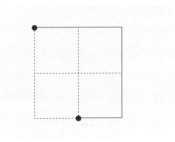

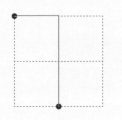

2

➕ 모양의 오른쪽에 똑같은 모양을 하나 더 붙인 모양을 그려 보세요.

3
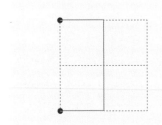

4
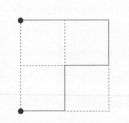

5
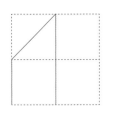

6
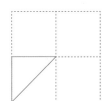

✤ 왼쪽 두 모양으로 나누어지도록 자르는 선을 오른쪽에 표시하세요.

7

8

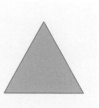

✤ 왼쪽 그림을 거울에 비춘 모양을 오른쪽에 그려 보세요.

9

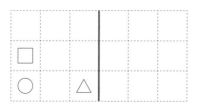

10

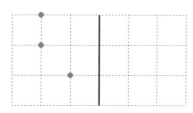

11

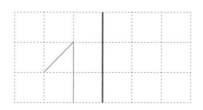

12

Memo

Memo

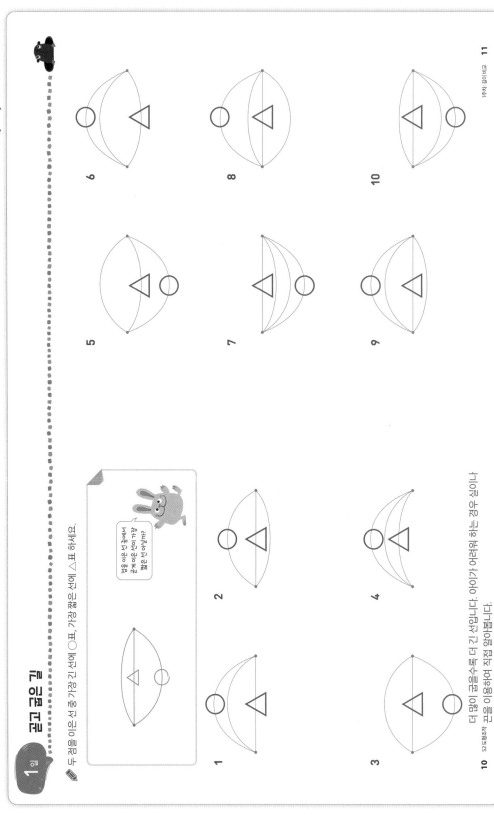

2일 가로지르는 길

✏️ 점선 사이를 가로지르는 두 곳은 두 곳은 선 중에 더 긴 선에 ○표 하세요.

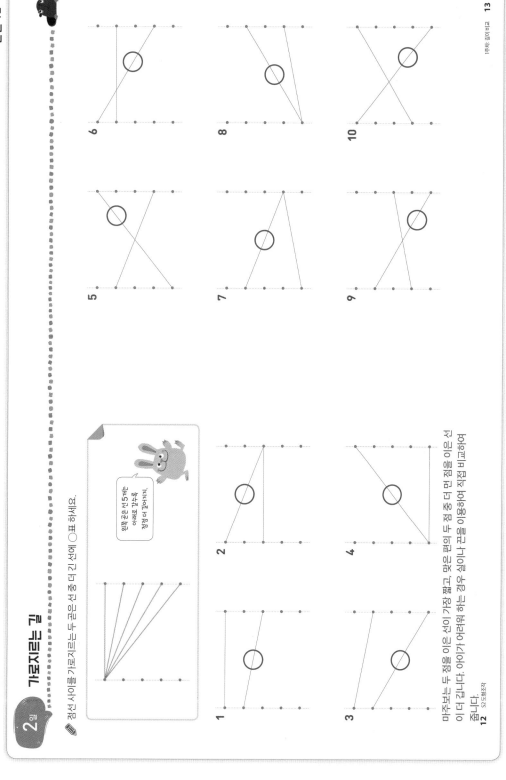

왼쪽으로 선 5개는 아래로 갈수록 점점 더 길어져요.

마주보는 두 점을 이은 선이 가장 짧고, 맞은 편의 두 점 중 더 먼 점을 이은 선이 더 깁니다. 아이가 어려워 하는 경우 실이나 끈을 이용하여 직접 비교하여 줍니다.

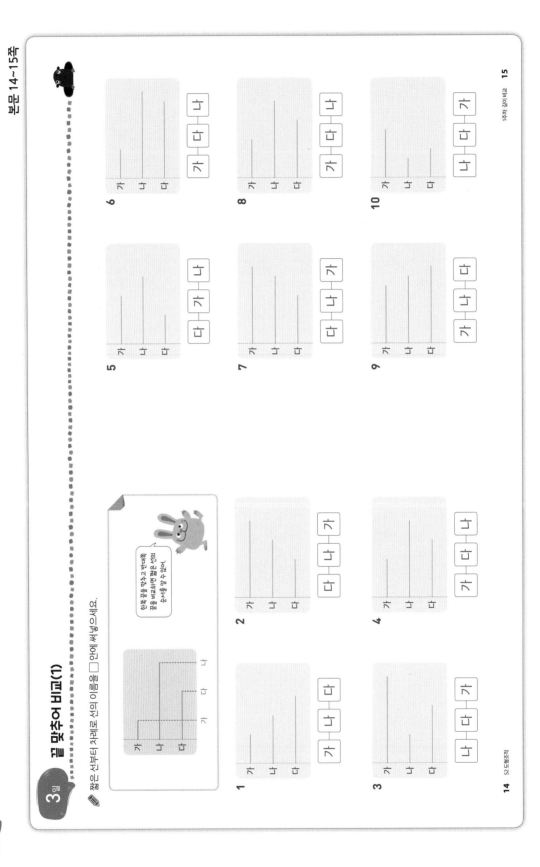

4일 끝 맞추어 비교(2)

짧은 선부터 차례로 선의 이름을 □ 안에 써넣으세요.

양쪽 끝에 맞추어서 2개씩 비교하면 다는 가보다 짧고, 가는 나보다 짧아. 그래서 다, 가, 나 순이 될 거야.

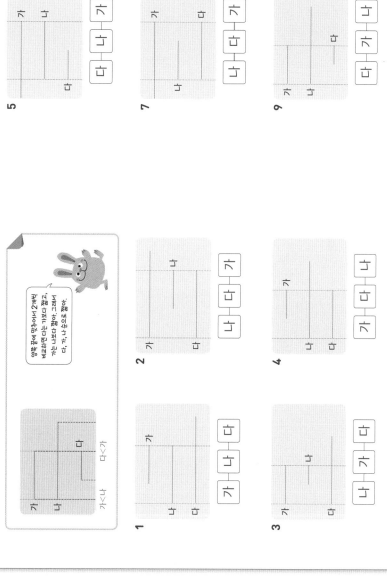

가 < 나, 다 < 가

가, 나, 다 순

1

2

3

4

5

6

7

8

9

10

본문 18~19쪽

5일 모두 길이 비교

두 점을 잇는 세 길 중 가장 짧은 길을 찾아 ◯표 하세요.

선의 길이가 모두 몇 칸인지 세어서 비교하면 간단해.

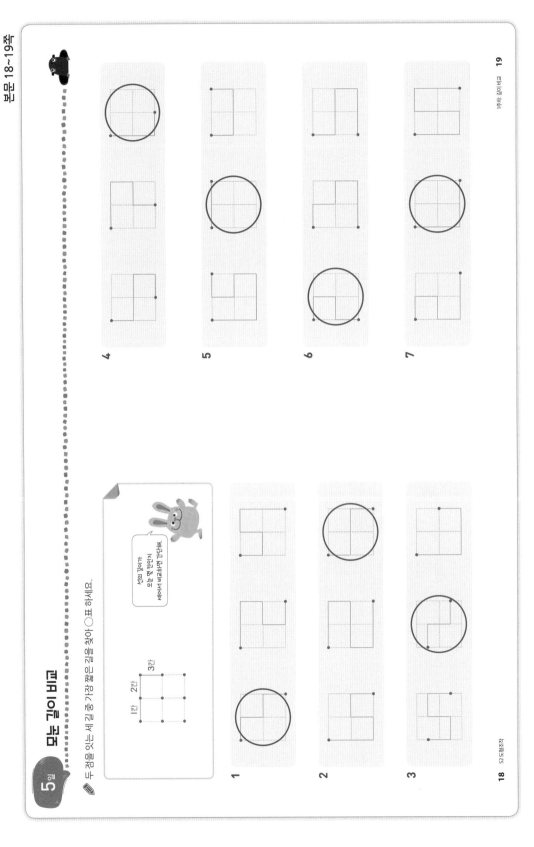

확인학습

1 두 점을 이은 선 중 가장 긴 선에 ◯표, 가장 짧은 선에 △표 하세요.

1

2

3 점선 사이의를 가로지르는 두 곧은 선 중 더 긴 선에 ◯표 하세요.

3

4

5 짧은 선부터 차례로 선의 이름을 ☐ 안에 써넣으세요.

5

가
나
다

| 다 | 가 | 나 |

6

가
나
다

| 가 | 다 | 나 |

7 두 점을 잇는 세 길 중 길이 가장 짧은 길을 찾아 ◯표 하세요.

7

8

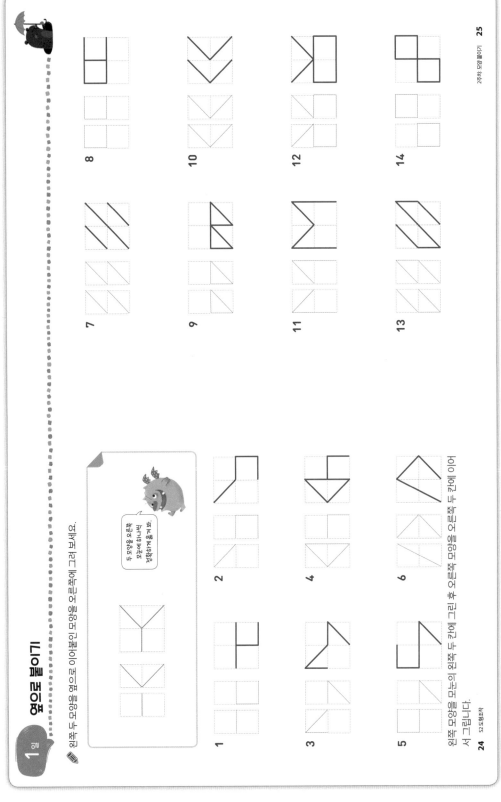

플라토 S2_2주차: 모양 붙이기

1일 옆으로 붙이기

✏️ 왼쪽 두 모양을 옆으로 이어붙인 모양을 오른쪽에 그려 보세요.

두 모양을 오른쪽 모눈에 하나씩 정확하게 옮겨 그려 봐.

왼쪽 모양을 모눈의 왼쪽 두 칸에 그린 후 오른쪽 모양을 오른쪽 두 칸에 이어서 그립니다.

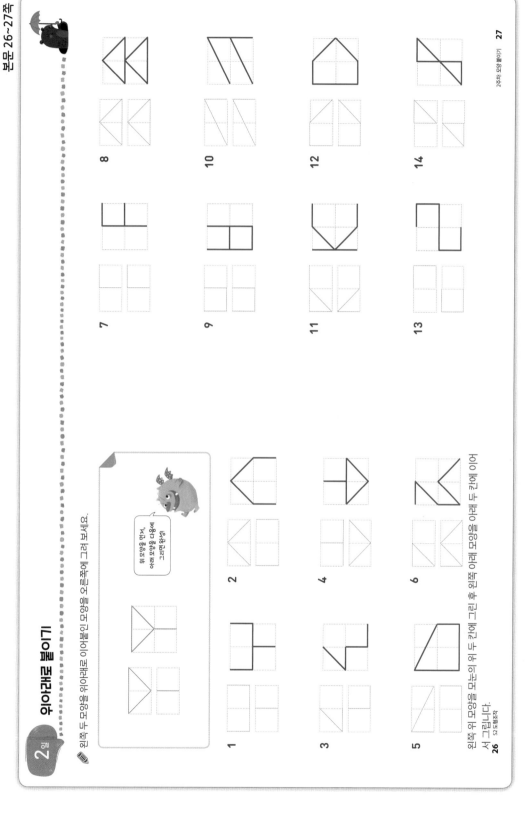

본문 28~29쪽

3일 열으로 하나 더

모양이 오른쪽에 똑같은 모양을 하나 더 이어서 붙여진 모양을 그려보세요.

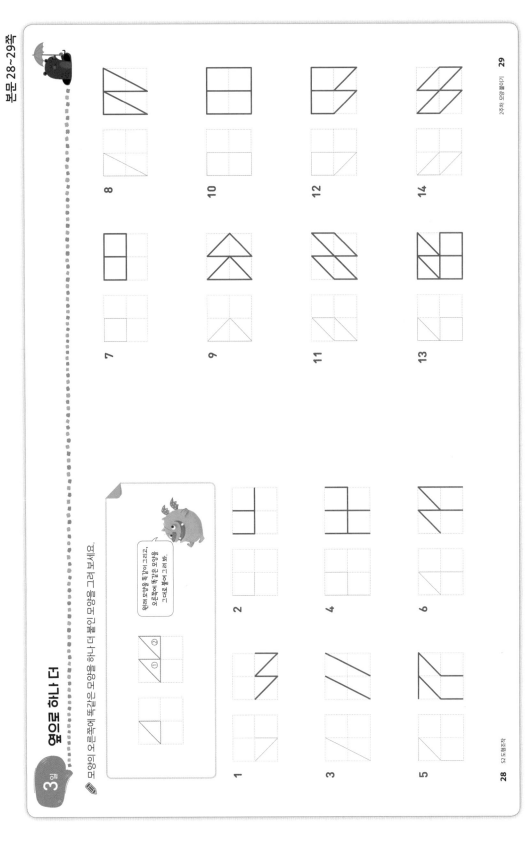

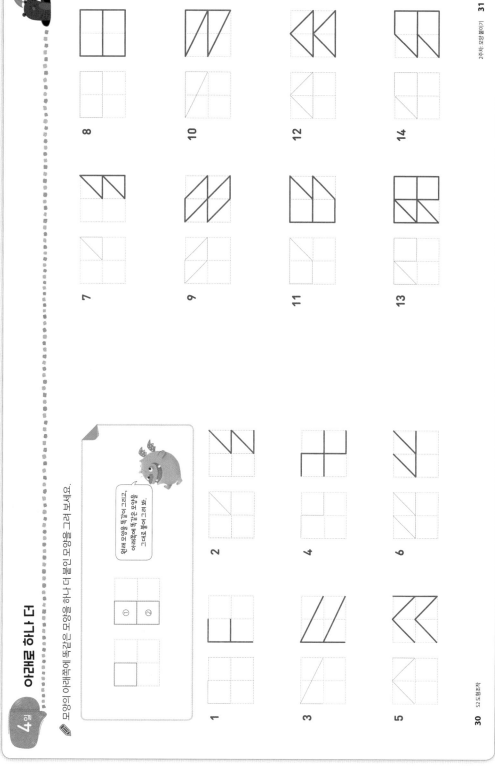

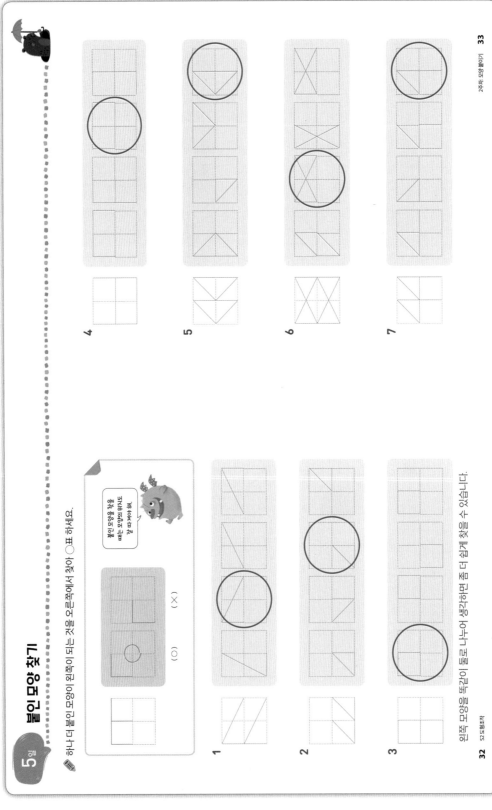

5일

붙인 모양 찾기

하나 더 붙인 모양이 왼쪽이 되는 것을 오른쪽에서 찾아 ◯표 하세요.

(◯)

(×)

붙이는 모양의 방향이 바뀌어지는 모양의 방향이 바뀌어도 한 번에 찾아보세요.

1

2

3

왼쪽 모양을 똑같이 둘로 나누어 생각하면 좀 더 쉽게 찾을 수 있습니다.

4

5

6

7

32 S2 도형조작

2주차: 모양 붙이기 33

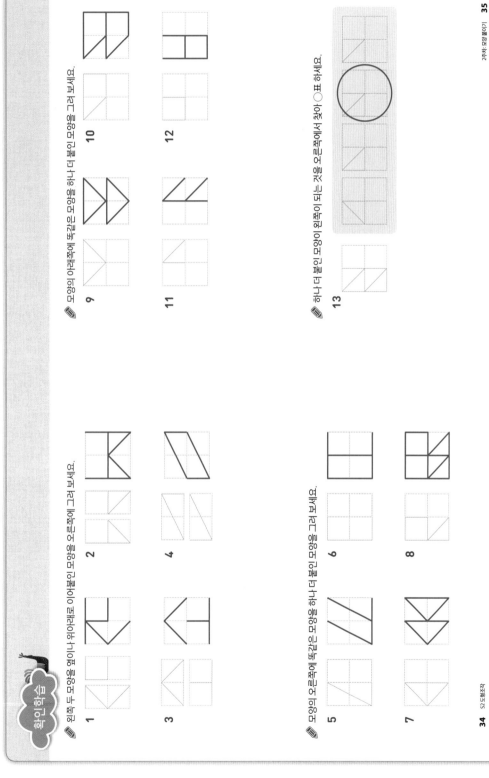

1일 잘린 모양 찾기(1)

✎ 점선을 따라 잘랐을 때 잘린 모양 2개를 찾아 ○표 하세요.

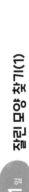

왼쪽과 같이 자르면 위아래로 두 조각으로 나누어져.

1

2

3

4

5

6

7

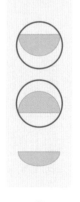

플라토 S2_3주차: 모양자르기 **15** 정답

2일 잘린 모양 찾기(2)

점선을 따라 잘렸을 때 잘린 모양 2개를 찾아 ○표 하세요.

둥근 모양을 비스듬히 잘라 두 조각을 만들었어.

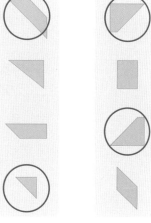

1

2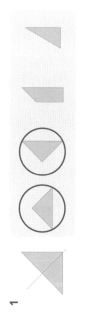

3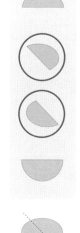

4

5

6

7

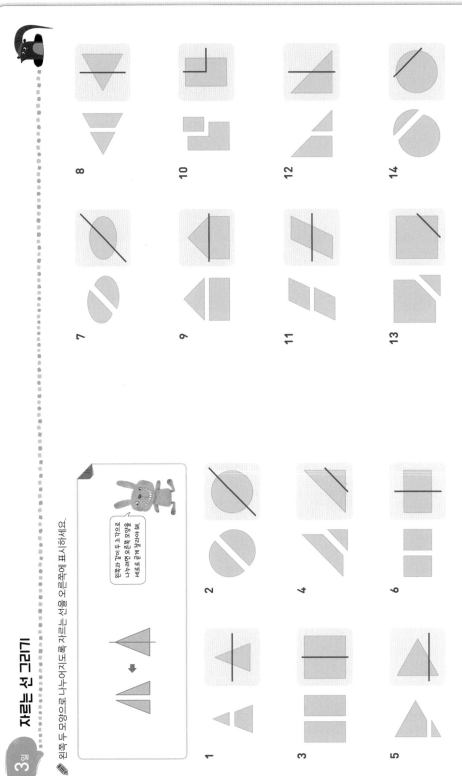

3일 자르는 선 그리기

왼쪽 두 모양으로 나누어지도록 자르는 선을 오른쪽에 표시하세요.

왼쪽과 같이 두 조각으로 나누려면 오른쪽 모양을 세로로 조게 잘라야 해

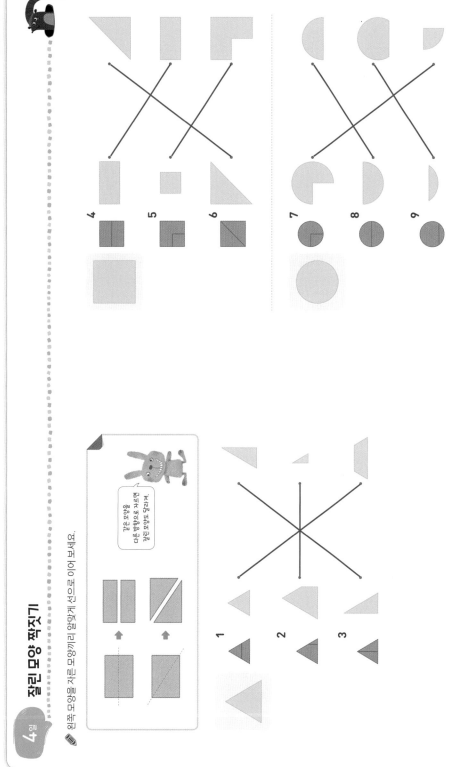

4일

잘린 모양 짝짓기

왼쪽 모양을 자른 모양끼리 알맞게 선으로 이어 보세요.

가운 모양을
다른 방향으로 자르면
거리는
잘린 모양으로도 돼요.

1
2
3

4
5
6
7
8
9

5일 잘린 모양 찾기(3)

✏️ 왼쪽 모양을 잘랐습니다. 잘린 모양 2개를 찾아 ◯표 하세요.

잘린 모양 2개를 이어붙이면 원래 모양이 되지.

1

2

3

4

5

6

7

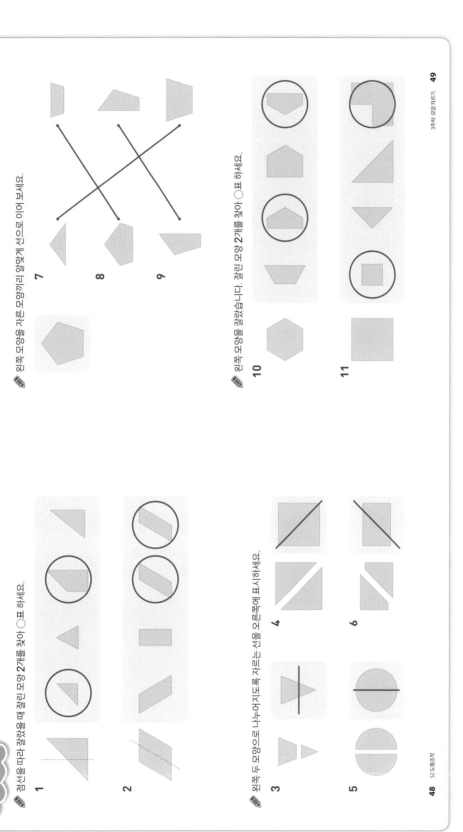

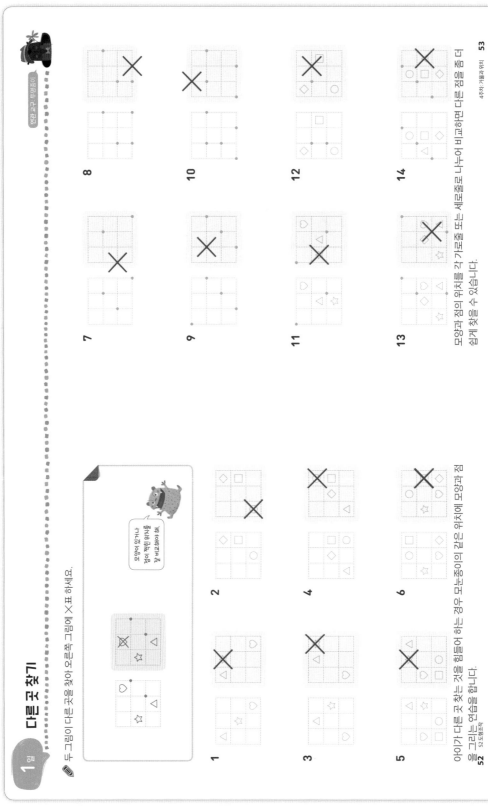

다른 곳 찾기

두 그림이 다른 곳을 찾아 오른쪽 그림에 ×표 하세요.

모양이 있거나 점이 찍힌 위치를 잘 비교해야 해.

아이가 다른 곳 찾기를 어려워하는 경우 모눈종이의 같은 위치에 모양과 점을 그리는 연습을 합니다.

모양과 점이 위치를 각 가로줄 또는 세로줄로 나누어 비교하면 다른 점을 더 쉽게 찾을 수 있습니다.

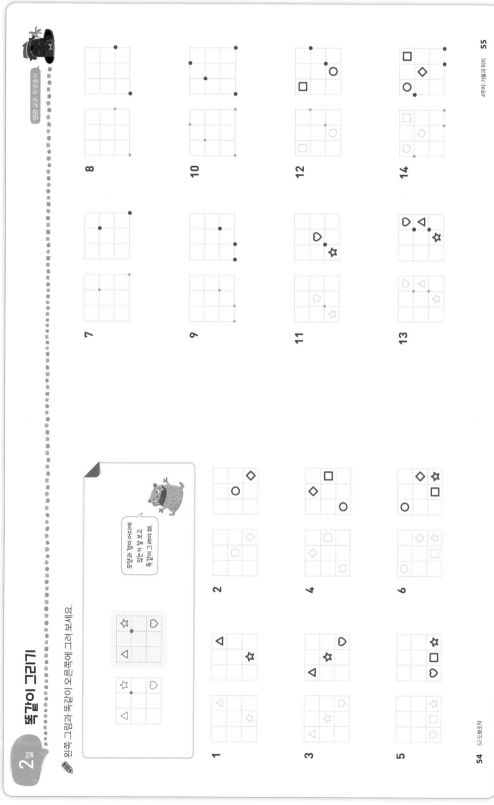

정답과 해설

3일 거울에 비친 모양

✏️ 왼쪽 그림을 거울에 비춘 모양을 오른쪽에 그려 보세요.

원래 모양과 거울에 비친 모양은 거울에 거리가 서로 같아.

1

2

3

4

5

6

리플렉터를 거울의 위치에 놓으면 거울에 비친 모양을 미리 볼 수 있습니다.

연친 교구 리플렉터

7

8

9

10

11

12

13

14

4회 거울에 비친 점

연관 교구 리틀렉터

왼쪽 그림을 거울에 비춘 모양을 오른쪽에 그려 보세요.

거울

원래 그림에 점이 2개면
거울에도 점 2개가
비춰져요.

1

2

3

4

5

6

리틀렉터를 거울의 위치에 놓으면 거울에 비친 모양을 미리 볼 수 있습니다.

7

8

9

10

11

12

13

14

본문 60~61쪽

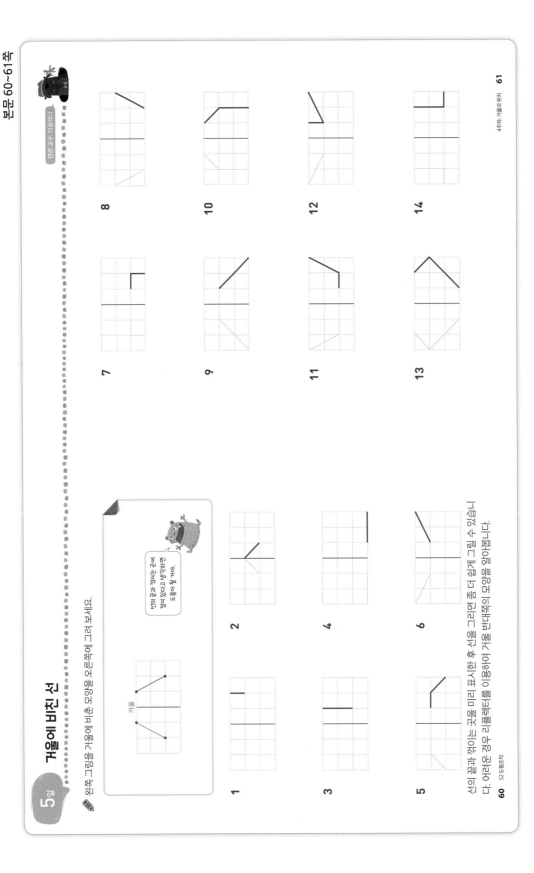

5일

거울에 비친 선

왼쪽 그림을 거울에 비춘 모양을 오른쪽에 그려 보세요.

선의 끝과 꺾이는 곳을 미리 표시한 후 선을 그리면 좀 더 쉽게 더 그릴 수 있습니다. 이러한 경우 리롤테이를 이용하여 거울 반대쪽의 모양을 알아봅니다.

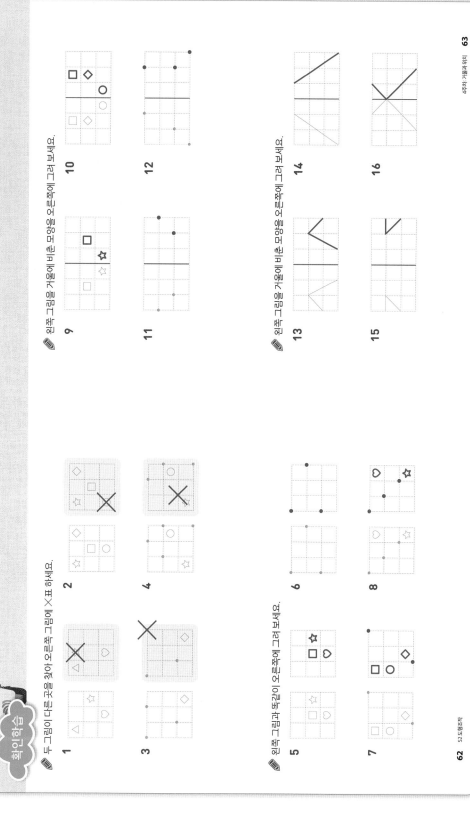

학인학습

두 그림이 다른 곳을 찾아 오른쪽 그림에 ✕표 하세요.

1

2

3

4

왼쪽 그림과 똑같이 오른쪽에 그려 보세요.

5

6

7

8

왼쪽 그림을 거울에 비춘 모양을 오른쪽에 그려 보세요.

9

10

11

12

왼쪽 그림을 거울에 비춘 모양을 오른쪽에 그려 보세요.

13

14

15

16

형성 평가 | 본문 66~67쪽

형성 평가

1회차

월 일 | 제한 시간 10분 / 맞은 개수 / 12개

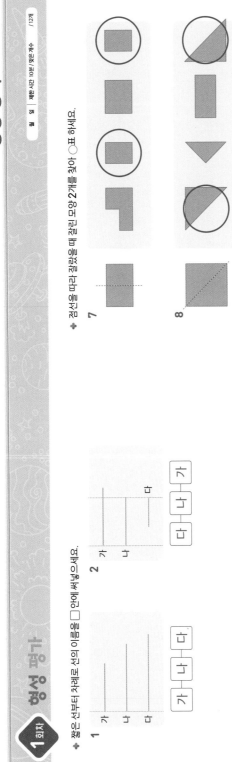

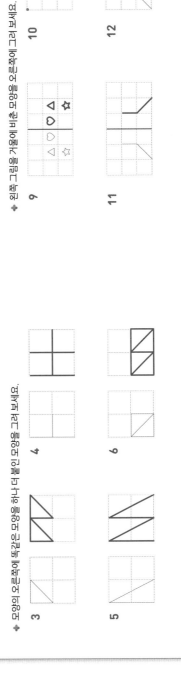

✚ 짧은 선부터 차례로 선의 이름을 ☐ 안에 써넣으세요.

1.
가
나
다

☐가☐ - ☐나☐ - ☐다☐

2.
가
나
다

☐다☐ - ☐나☐ - ☐가☐

✚ 점선을 따라 접었을 때 겹치는 모양 2개를 찾아 ◯표 하세요.

7.

8.

✚ 모양의 오른쪽에 똑같은 모양을 하나 더 붙인 모양을 그려 보세요.

3.

5.

4.

6.

✚ 왼쪽 그림을 거울에 비춘 모양을 오른쪽에 그려 보세요.

9.

11.

10.

12.

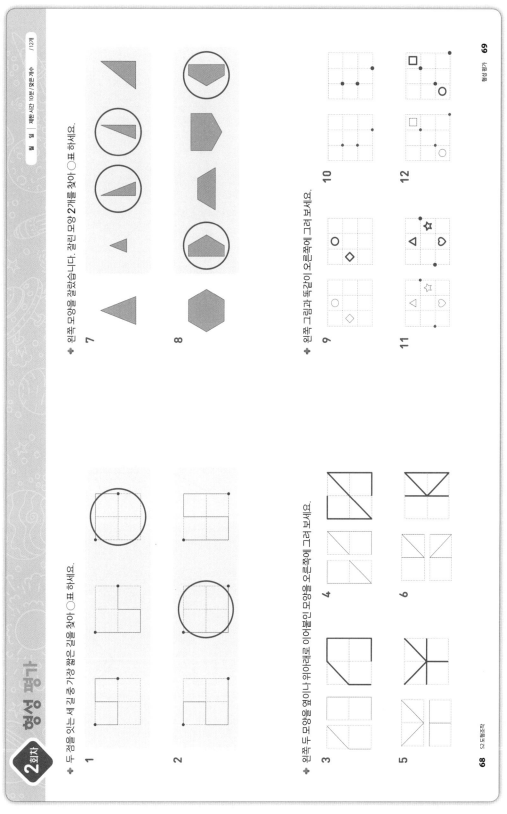

2회차 형성 평가

월 일 | 제한 시간 10분 / 맞은 개수 /12개

◆ 두 점을 잇는 세 길 중 가장 짧은 길을 찾아 ◯표 하세요.

1

2

◆ 왼쪽 두 모양을 옆이나 위아래로 이어붙인 모양을 오른쪽에 그려 보세요.

3

4

5

6

◆ 왼쪽 모양을 잘랐습니다. 잘린 모양 2개를 찾아 ◯표 하세요.

7

8

◆ 왼쪽 그림과 똑같이 오른쪽에 그려 보세요.

9

10

11

12

S2 도형조작

형성 평가

68

69

형성 평가

3회차

월 일 | 제한시간 10분 / 맞은 개수 /12개

✦ 점선 사이를 가로지르는 두 굵은 선 중 더 긴 선에 ◯표 하세요.

1

2

✦ 왼쪽 두 모양을 옆이나 위아래로 이어붙인 모양을 오른쪽에 그려 보세요.

3

4

5

6

✦ 왼쪽 두 모양으로 나누어지도록 자르는 선을 오른쪽에 표시하세요.

7

8

✦ 왼쪽 그림을 가운데 거울에 비춘 모양을 오른쪽에 그려 보세요.

9

10

11

12

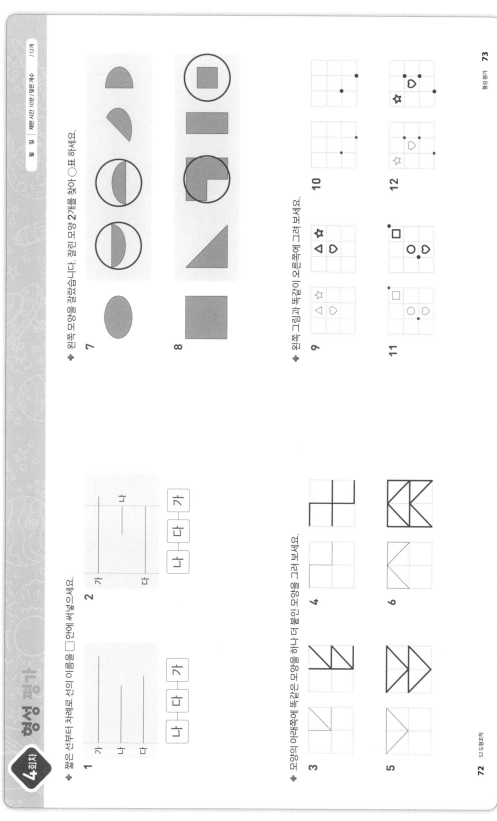

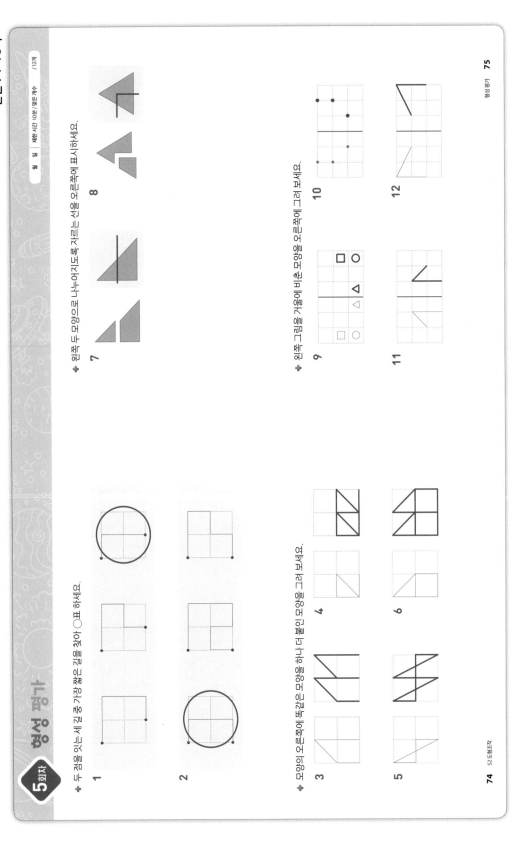

Memo

"Let no one untrained in geometry enter.

"기하학을 모르는 자, 이 문을 들어오지 말라."

ᙡ투엠 **지식과상상** 연구소 since 2013

교재 소개 및 난이도 안내

*일부 교재 출시 예정입니다.

분류	교재	연령	하	중	상
도형	도형 학습 스타트 **플라토**	6세 ~ 초6	■■■■■	■	
도형	도형 수준 레벨업 **플라토X**	6세 ~ 초6		■■■	■■
연산	연산의 새로운 기준 **칸토의 연산**	5세 ~ 초6	■■■■		
연산	연산으로 상위권 점프 **응용연산**	6세 ~ 초6		■■■	■
서술형	수학 실력은 결국 독해력 **수학독해**	6세 ~ 초6	■■■		
사고력	반드시 필요한 사고력만 **팡세**	6세 ~ 초6		■■■	■
예비 초등 수학	쉽게, 빠르게, 재미있게 **구구단**	5세 ~ 초2	■■		
예비 초등 수학	저학년 시간 학습 준비 끝 **시계와 달력**	5세 ~ 초2	■■■		
예비 초등 수학	꼭 알아야 할 실생활 수학 **길이와 화폐**	5세 ~ 초2	■■■		
예비 초등 수학	기초 튼튼, 개념 탄탄 **분수**	5세 ~ 초2	■■■		

" Let no one untrained in geometry enter. "

"기하학을 모르는 자, 이 문을 들어오지 말라."

값 7,500원

KC		64410
모 델 명	하루 10분 도형 학습지 플라토	
제조년월	2023년 1월	
제조자명	(주)씨투엠에듀	
주소 및 전화번호	경기도 수원시 장안구 파장로 7 (태영빌딩 3층) / 031-548-1191	
제조국명	한국 **사용연령** 만 5세 이상	

ISBN 979-11-6229-352-2